Mission…
à ne pas fermer
l'œil !

Les Éditions du Boréal remercient le Conseil des arts du Canada
pour son soutien financier ainsi que le Fonds du livre du Canada (FLC).
Canada

Les Éditions du Boréal sont inscrites au Programme d'aide aux entreprises
du livre et de l'édition spécialisée de la SODEC et bénéficient du Programme
de crédit d'impôt pour l'édition de livres du gouvernement du Québec.
Québec

© Les Éditions du Boréal 2016
Dépôt légal : 1er trimestre 2016
Bibliothèque et Archives nationales du Québec

Diffusion au Canada : Dimedia
Diffusion et distribution en Europe : Volumen

*Catalogage avant publication de Bibliothèque et Archives nationales
du Québec et de Bibliothèque et Archives Canada*

Chartrand, Lili

    Mission… à ne pas fermer l'œil !

    (Les 4 G ; 3)

    (Boréal Maboul)

    Pour enfants de 6 ans et plus.

    ISBN 978-2-7646-2426-5

    I. Benoit, Mathieu, 1978- . II. Titre. III. Collection : Chartrand, Lili. 4 G ; 3.
IV. Collection : Boréal Maboul.

PS8555.H4305M563   2016   jC843'.6   C2016-940029-8
PS9555.H4305M563   2016

ISBN PAPIER 978-2-7646-2426-5
ISBN PDF 978-2-7646-3426-4
ISBN EPUB 978-2-7646-4426-3

Mission...
à ne pas fermer
l'œil !

texte de Lili Chartrand
illustrations de Mathieu Benoit

Boréal Maboul

Les 4 G et compagnie

Gina-Colada
Chef de la bande, c'est une chimiste de génie au caractère bouillant. Ses potions sont souvent utiles pour combattre les vilains. Sa devise : plus ça goûte mauvais, plus c'est efficace !

Gogo-Alto
Fidèle compagnon de Gina-Colada, ce perroquet imite n'importe quelle voix ou n'importe quel son. Très intelligent et fort adroit de ses pattes, il adore parler au téléphone !

Gigi-Tricoti
Avec ses doigts de fée, elle tricote à la vitesse de l'éclair ! Malgré sa vision parfaite, elle porte toujours des lunettes. Elle en possède 23 paires et demie. Ce sont ses porte-bonheur, alors bas les pattes !

Gali-Petti
Acrobate-né, il est plus mou
que du caoutchouc. Peut-être était-il
un chewing-gum dans une autre vie ?
Fan fini de Johnny Bigoudi, il écoute
sa musique jour et nuit !

Monsieur Mauve
Personnage mystérieux, il dirige les 4 G sans
jamais se montrer. Les missions qu'il leur confie
sont toujours dignes de leurs talents…
car les méchants sont attirés à Gredinville
comme les mouches par le sucre !

Komett
Aussi rapide qu'une fusée,
ce bolide est un cadeau
de Monsieur Mauve.
Il n'obéit qu'au son de la voix
des 4 G. De plus, il est doté
de gadgets pour le moins
inattendus !

1

Œil pour œil

Au *Don Quichotte*, les 4 G dorment comme des bébés. Normal, il est 4 h 30 du matin ! Une petite brise entre par la fenêtre de leur chambre, au grenier du moulin. Soudain, le silence est interrompu par un bip-bip étouffé. Gina-Colada ouvre les yeux. Elle retire son bras de sous l'oreiller. Le bip-bip résonne maintenant dans toute la pièce.

— Qu'est-ce qui se passe ? demande Gigi-Tricoti en se frottant les yeux.

— Je ne comprends pas, répond Gina-

Colada. Ma montre doit être défectueuse. Elle n'a jamais sonné en pleine nuit !

Bip-bip ! Cette fois, un message apparaît sur le petit écran : *Répondez, c'est urgent !* Gina-Colada appuie aussitôt sur le bouton rouge. La voix de Monsieur Mauve s'élève dans le grenier.

— Désolé de vous réveiller à cette heure tardive. Il y a moins de deux minutes (1 min 44 s), mon gredinomètre a retenti. Un gredin

est entré dans Gredinville ! Il doit s'agir de Tony La Rétine, l'hypnotiseur.

— Qu'est-ce qui vous fait dire ça ? s'étonne Gina-Colada.

— C'est un noctambule (drôle de mot qui veut dire : « quelqu'un qui fait des activités surtout la nuit, et pas nécessairement des bulles »). Trouvez-le, je sais de quoi il est capable ! Et...

La communication est coupée. Gina-Colada fronce les sourcils. Elle appuie sur le

bouton bleu pour appeler Monsieur Mauve. Pas de réponse. Elle recommence plusieurs fois.

Après quelques minutes (4 min 47 s), sa montre-téléphone se met à sonner. La jeune fille presse aussitôt le bouton rouge. Elle voit alors apparaître à l'écran le visage d'un homme au regard troublant. Ça ne peut pas être Monsieur Mauve. Il ne se montre jamais ! Les yeux du nouveau venu sont surmontés de sourcils en accents circonflexes. Avec un vilain sourire, il se présente :

— Je suis Tony La Rétine. J'ai donc l'honneur de m'adresser à Gina-Colada, la chimiste et chef de la bande des 4 G. Ha ! Ha ! Tu as l'air d'une truite qui vient d'avaler un cigare ! J'ai appris des choses fort intéres-

santes à votre sujet… Un petit oiseau me les a confiées !

Sur ces paroles, l'homme tourne la tête vers sa droite et ordonne :

— Chante, petit oiseau !

— Cui-cui ! Je suis le plus beau des moineaux ! Cui-cui !

Les 4 G sont bouche bée. C'est la voix de Monsieur Mauve.

— Ça ne sert à rien de le rappeler, prévient Tony La Rétine. Moi seul peux le sortir de son état de volatile. Il m'a déjà piégé dans le passé. Œil pour œil, dent pour dent ! Bon, je vais aller m'amuser avec les habitants de Gredinville avant que le soleil se lève !

— Mais…, proteste Gina-Colada.

Trop tard. L'écran s'éteint. Elle a beau appuyer sur le bouton bleu, rien ne se produit. Les 4 G sont atterrés. Leur mystérieux

chef est dans de beaux draps ! Ils ne peuvent pas lui porter secours, car ils ignorent où il habite.

— Tony La Rétine est un hypnotiseur hors pair, affirme Gigi-Tricoti. Mais il supporte mal la lumière du jour. Ça lui donne d'atroces migraines (mot rigolo qui veut dire : « gros mal de tête », et non pas la moitié d'une graine).

— Comment le sais-tu ? s'étonne Gali-Petti.

— Tout ce qui touche aux yeux m'intéresse, répond-elle en posant des lunettes carrées sur son nez.

— Autre chose à son sujet ? demande Gina-Colada.

— Tony La Rétine peut perdre son pouvoir hypnotique quand il a la migraine.

Sinon, il est capable, juste avec sa voix, d'hypnotiser des gens pendant leur sommeil.

— Nom d'une gomme au piment ! s'écrie Gali-Petti. Il pourrait semer toute une pagaille (joli mot qui signifie : « grand désordre ») en un rien de temps !

— En effet, confirme Gigi-Tricoti. Ça m'étonnerait qu'il soit ici seulement pour « s'amuser » avec les habitants ! Il a sûrement un plan machiavélique (le ch se prononce « k ». Cet adjectif signifie : « très rusé », comme l'idée de mettre du brocoli haché très finement dans la sauce à spaghetti) !

— Krrroââ ! lance Gogo-Alto de son perchoir. Qu'est-ce qu'on attend ?

2

Yeux à gogo

Avant de partir à la recherche de Tony La Rétine, Gina-Colada, Gigi-Tricoti et Gali-Petti prennent une douche pour se réveiller. Gogo-Alto prend plutôt de grandes respirations. Perché sur le bord de la fenêtre, il regarde le soleil qui commence à pointer ses rayons.

— Ton bol de graines est prêt ! annonce Gigi-Tricoti.

Partir en mission l'estomac vide n'est jamais une bonne idée ! Les 4 G mangent leurs céréales en écoutant le canal des nou-

IRIS DE MIOPOTAMIE À GREDINVILLE

velles 24 h/24. Un bulletin spécial attire leur attention :

La reine Iris de Miopotamie s'arrête à Gredinville pour un bref séjour. Sa Majesté a eu la généreuse idée de prêter son fameux bijou, l'Œil-de-Mars, au musée Débozar. *Les visites ont lieu aujourd'hui de 8 h à 16 h et demain de 8 h à 13 h.*

— Nom d'un mouton rasé ! s'écrie Gigi-Tricoti. Je parie ma collection de lunettes que Tony La Rétine est à Gredinville pour s'emparer de l'*Œil-de-Mars* ! La légende veut que ce bijou ait des pouvoirs immenses…

— Très attirant pour un gredin ! approuve Gina-Colada. Comme le soleil va briller aujourd'hui, Tony La Rétine commettra sûrement son délit ce soir.

— J'en suis certaine, affirme Gigi-Tricoti. Je me demande où il va se cacher…

Gina-Colada réfléchit, puis déclare :

— Voici ce que nous allons faire. D'abord, il faut découvrir ce que Tony La Rétine a fait aux Gredinvillois. Qui sait, on récoltera peut-être des indices sur sa cachette ? Ensuite, nous irons au musée *Débozar* prévenir le directeur.

— Tu devrais vérifier quelle est la signature de ce gredin, suggère Gali-Petti.

La chef de la bande appuie sur le bouton vert de sa montre-téléphone. Une liste de gredins défile sur le petit écran. Ces vauriens aiment laisser une trace de leur passage. Une pince à linge, une mèche de cheveux… Sous le nom de Tony La Rétine, il est seulement indiqué *yeux* comme signature.

— Krrroââ ! Qu'est-ce qu'on attend ? répète Gogo-Alto.

Gina-Colada court au labo enfiler sa ceinture de fioles et son poncho. Gigi-Tricoti prend son sac à dos chargé de lunettes et de son kit de tricot. Gali-Petti remplit ses poches de gommes à mâcher à la réglisse (sa nouvelle saveur préférée). Gogo-Alto aiguise ses

griffes sur son perchoir. Il pousse aussi des vocalises pour réchauffer sa voix.

Quelques minutes plus tard (2 min 27 s), Komett arrive au centre-ville de Gredinville. Un spectacle incroyable s'offre aux yeux des 4 G. Dans le quartier désert (il n'est que 6 h 15), des centaines d'yeux de différentes tailles sont dessinés à la craie ou tracés à la peinture ! Sur les murs des boutiques et

des maisons, sur les automobiles, les rues, les trottoirs. L'effet est hallucinant !

— Mais... Comment Tony La Rétine a-t-il pu couvrir tant d'espace en si peu de temps ? s'étonne Gali-Petti.

— D'après moi, il a choisi des familles nombreuses pour faire son sale boulot,

réplique Gigi-Tricoti. Ce gredin est si orgueilleux qu'il n'a pu résister à l'idée de montrer l'étendue de son talent !

— Où sont tous les gens qu'il a hypnotisés ? s'interroge Gina-Colada.

— Ils sont retournés se coucher, déclare Gigi-Tricoti. Quand ils vont se réveiller et constater les dégâts, ils ne comprendront pas… Les pauvres, ils ne se souviendront de rien !

Komett continue de circuler lentement dans les rues désertes.

— Tous ces yeux donnent froid dans le dos, dit Gali-Petti. On dirait qu'on nous espionne !

C'est alors qu'ils entendent chanter.

3

L'Œil-de-Mars

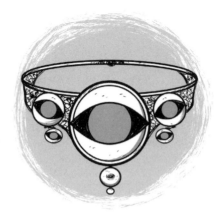

Komett se stationne. Les 4 G descendent de la voiture. Ils tournent le coin de la rue. Le quatuor tombe sur un homme en pyjama, avec une craie rose à la main. Il chantonne en terminant de couvrir d'yeux le mur d'une boutique.

— J'ai terminé, murmure-t-il. Je retourne me coucher.

Il passe près des 4 G sans leur jeter un regard.

— Ses yeux vides prouvent qu'il est hypnotisé, confirme Gigi-Tricoti.

— Et on ne peut rien faire ! bougonne Gina-Colada. Où peut bien se cacher Tony La Rétine ?

— Dans une habitation abandonnée aux fenêtres bouchées ? suggère Gali-Petti.

— Krrroââ ! Dans les égoûts ! lance Gogo-Alto.

— Beurk ! fait Gigi-Tricoti. Pourquoi pas dans un tunnel ou une cave ?

Gina-Colada court vers Komett et consulte l'ordi du véhicule. Mais il n'y a ni bâtiment désert ni tunnel à Gredinville. Quant aux caves…

— Tout le monde ou presque possède une cave ! s'impatiente Gina-Colada. Autant chercher une aiguille dans une botte de foin !

— Tony La Rétine ne nuira à personne

jusqu'au coucher du soleil, affirme Gigi-
Tricoti.

— Tu as raison, approuve Gina-Colada.
Allons prévenir le directeur !

Quelques minutes plus tard (2 min 24 s),
Komett s'arrête devant le musée *Débozar*.
Comme le musée
n'est pas encore
ouvert, la chef de
la bande appelle
le directeur sur
sa montre-
téléphone.

— Bonjour, monsieur Barbo. Ici Gina-
Colada. On aimerait vous parler avant l'ou-
verture de l'exposition de l'*Œil-de-Mars*.
C'est important.

— D'accord, passez par derrière.

Le directeur les salue et les fait entrer dans son bureau.

— Que se passe-t-il ?

— Il y a de fortes chances que l'*Œil-de-Mars* soit volé ce soir par Tony La Rétine.

— Quoi ? Impossible ! proteste monsieur Barbo. Notre nouveau système d'alarme est très perfectionné.

— Où est exposé le bijou ? demande Gigi-Tricoti.

— Dans la tour. Je vous accompagne.

Ils montent l'escalier, qui donne sur un couloir. À droite se trouvent les toilettes et une sortie de secours. À gauche, un gardien à moustaches et à lunettes teintées monte déjà la garde devant l'entrée de la tour.

— Par bonheur, celui-ci est à son poste, dit le directeur. C'est étrange, plusieurs employés ne sont pas encore arrivés ce matin…

L'*Œil-de-Mars* trône sur un piédestal de verre. Un cordon de velours rouge l'encercle et tient les visiteurs à distance. Le bijou diffuse une lueur verdâtre dans la grande pièce ronde en pierres.

— Tends le bras vers l'*Œil-de-Mars*, ordonne le directeur à Gali-Petti.

Le garçon passe la main au-dessus du cordon. Aussitôt, une alarme stridente résonne. Monsieur Barbo sort une télécommande de la poche de son veston. Il appuie sur un bouton. Le vacarme cesse d'un coup.

— Des rayons laser sont activés en permanence à l'intérieur de ce périmètre, précise le directeur. Ils sont invisibles quand la lumière est allumée. Par contre…, ajoute-t-il en baissant l'interrupteur.

Dans la pièce noire, des rayons rouges traversent la surface délimitée par le cordon. On dirait la toile d'une araignée géante !

— Trois caméras sont aussi installées au plafond, poursuit monsieur Barbo en rallumant la lumière. Il y aura un garde devant la porte, jour et nuit.

Les 4 G sont impressionnés. Si Tony La Rétine pense réussir son coup, il se met le doigt dans l'œil !

Le directeur laisse les 4 G et retourne à son bureau.

Peu de temps après (1 m 23 s), une grappe de curieux entre dans la salle.

— Ce n'est pas la foule, note Gina-Colada. Et si Tony La Rétine avait tout planifié ? Si tous ces gens qu'il a hypnotisés cette nuit avaient été « programmés » pour dormir toute la journée ? C'est plus facile de commettre un vol dans un endroit désert ! Qui sait, il a peut-être des complices ?

Les 4 G décident de rester aux aguets.Ils s'installent derrière un grand tableau. Il s'agit du portrait de la reine Iris, avec son

fameux bijou au cou.

Le temps passe, mais les visiteurs sont rares.

— Je dois aller aux toilettes ! lance soudain Gali-Petti en courant vers la sortie.

Quand le dernier visiteur quitte la pièce, les trois amis sortent à leur tour.

Gina-Colada s'arrête devant les toilettes des hommes.

— Ça va, Gali-Petti ?

Pas de réponse.

— J'espère qu'il n'est pas malade ! s'inquiète la chimiste en ouvrant la porte.

Les toilettes sont vides.

4

Poudre aux yeux

Gina-Colada, Gigi-Tricoti et Gogo-Alto vérifient les différentes salles d'exposition du rez-
de-chaussée. Gali-Petti adore jouer à cache-
cache ! Mais il est introuvable. Le trio s'arrête
au bureau du directeur. Monsieur Barbo
dévore un sandwich tout en regardant une
revue à potins.

— Avez-vous vu Gali-Petti ? demande
Gina-Colada.

La bouche pleine, le directeur fait non de
la tête.

— Krrroââ! Il doit nous attendre dehors! lance Gogo-Alto. Je vais voir!

Quelques instants plus tard (32,6 s), le perroquet revient, seul.

— Je ne le vois nulle part!

Gina-Colada fronce les sourcils. Les 4 G ne quittent jamais le lieu d'une mission! La chimiste s'approche des écrans installés dans un coin de la pièce.

— Vous éteignez les moniteurs pendant l'heure du lunch ? s'étonne-t-elle.

Monsieur Barbo avale de travers et se précipite devant les écrans noirs.

— Je n'y comprends rien ! Il y a dix minutes environ (8 min 52 s), tout allait !

Le quatuor monte quatre à quatre les marches qui mènent à la tour.

— Où est le gardien ? s'interroge le directeur en courant vers l'entrée de la salle.

Blanc comme un drap, il s'exclame :

— L'*Œil-de-Mars* a disparu ! Pourquoi l'alarme ne s'est-elle pas déclenchée ? s'étonne-t-il en éteignant la lumière. Les rayons laser fonctionnent pourtant toujours !

Monsieur Barbo rallume la lumière et ronchonne :

— Je descends appeler l'entreprise qui m'a vendu ce système d'alarme supposément perfectionné !

De leur côté, Gina-Colada, Gigi-Tricoti et Gogo-Alto vérifient les toilettes des hommes et des femmes : vides ! Où est Gali-Petti ?

Le trio s'élance dans la tour, à la recherche d'indices.

— Regardez le tableau ! s'écrie Gina-Colada.

Sur le front de la reine Iris, un œil est tracé à la craie verte.

— Krrroââ ! fait soudain Gogo-Alto, perché sur une des caméras. Il y a de la gomme à mâcher noire collée sur les trois lentilles !

Gina-Colada et Gigi-Tricoti ouvrent grand les yeux.

— Gali-Petti…, murmurent-elles en
même temps.

— Tony La Rétine l'a hypnotisé, bien
sûr ! dit Gigi-Tricoti. Rappelle-toi, il nous a
dit qu'il avait appris des choses intéressantes
à notre sujet. Gali-Petti est un acrobate hors
pair ! En moins de dix minutes, il a escaladé
ce mur de pierres pour coller sa gomme à la

réglisse sur les lentilles des caméras. Puis, il s'est faufilé entre les rayons laser pour s'emparer de l'*Œil-de-Mars*.

— Nom d'une potion velue ! s'écrie Gina-Colada en se tapant le front. Le gardien aux lunettes teintées, c'était Tony La Rétine ! Il a hypnotisé Gali-Petti à sa sortie des toilettes. Puis, ils se sont cachés dans les toilettes des femmes ! Après leur coup, le gredin s'est sauvé avec Gali-Petti par la sortie de secours.

— Il doit avoir toute une migraine avec ce vol exécuté en plein jour, note Gigi-Tricoti. Bien fait pour lui !

Les deux jeunes filles dévalent les marches, Gogo-Alto dans leur sillage. Ils se précipitent vers la sortie et tombent nez à nez avec le directeur.

— Je viens de mettre un avis sur le panneau extérieur. Ça dit que le musée sera fermé en raison d'un problème technique avec le système d'alarme. Où courez-vous ainsi ?

— Trouver Gali-Petti !

— Et l'*Œil-de-Mars*, alors ? s'affole le directeur. Il faut le retrouver au plus vite ! La reine Iris vient prendre le thé cet après-midi. Si elle apprend que son bijou a été volé, je suis fichu ! gémit-il en levant les bras au ciel.

— On vous tient au courant ! lance Gina-Colada en grimpant dans leur bolide.

Komett sillonne les rues de la ville. Aucune trace de Tony La Rétine et de Gali-Petti à l'horizon. Où peuvent-ils se cacher ?

C'est alors que la montre-téléphone de Gina-Colada sonne.

5

Le troisième œil

Tony La Rétine apparaît sur le petit écran.

— Salut les filles ! lance-t-il avec un sourire diabolique. Vous cherchez quelqu'un ?

— Très drôle ! Où est Gali-Petti ?

— À mes côtés. Je me repose encore un peu et nous partons. Je l'emmène avec moi. Il est trop génial, ce garçon ! Adieu, les… 3 G ! Ha ! Ha !

L'écran vire au noir. Gigi-Tricoti trépigne.

— Qu'est-ce qui te prend ? s'étonne Gina-Colada.

— J'ai reconnu le graffiti à moitié effacé

derrière Tony La Rétine. Ils sont dans LA CAVE DU MOULIN !

— Quoi ? Bien vu ! s'exclame la chimiste. On doit le piéger avant qu'il décampe avec Gali-Petti ! On a peu de temps… C'est un adversaire de taille, il faudra être très prudent ! Komett, au *Don Quichotte* !

Pendant que le bolide file vers le moulin, le trio concocte un plan. Gigi-Tricoti commence à tricoter à toute vitesse. Gina-Colada

examine ses fioles. Quant à Gogo-Alto, il sautille d'impatience !

Quelques minutes plus tard (2 min 37 s), Komett arrive au *Don Quichotte*. Devant la porte du moulin, Gigi-Tricoti enlève ses lunettes carrées. Puis, elle sort de son sac des lunettes rondes. Les deux jeunes filles les posent sur leur tête. Les trois complices entrent ensuite dans le bâtiment. Ils sont aussi silencieux que des chats en pantoufles.

Tout est si calme qu'on entendrait une mouche tousser.

— J'espère qu'ils ne sont pas partis ! murmure Gina-Colada.

Les deux jeunes filles soulèvent la trappe qui mène à la cave. Une vague lueur verdâtre émane du trou sombre. Tony La Rétine et Gali-Petti sont toujours là ! Gina-Colada descend l'échelle la première, Gogo-

Alto sur l'épaule. Gigi-Tricoti les suit de près et referme sans bruit la trappe derrière elle.

La pièce baigne quasiment (adverbe qui signifie : « presque ». Par exemple, vous avez quasiment terminé ce livre) dans la noirceur. La lueur verte vient du fond de la cave. Assis sur un vieux matelas, Tony la Rétine tient l'*Œil-de-Mars* contre son front. Gali-Petti est étendu à ses côtés. Le trio s'approche. Le gredin a un drôle de sourire.

— Tiens, tiens, je ne vous attendais pas si tôt…

— Hein ? s'étonne Gina-Colada. Que voulez-vous dire ?

— Tu me prends pour un imbécile ? Je savais que Gigi-Tricoti reconnaîtrait le graf-

fiti. Rien n'échappe à son regard aiguisé !
Vous avez foncé tête baissée dans mon
piège…, ajoute-t-il. Vous, malins ? Pfft !
Laissez-moi rire !

Les 3 G sont atterrés.

— Ce vol en plein jour était une folie,
mais ça valait le coup ! continue Tony La
Rétine. Ma migraine a disparu… Cet œil est
formidable, il m'a guéri ! Voilà pourquoi je
tenais à mettre la main dessus. Je pourrai
hypnotiser n'importe qui en plein jour !
Maintenant, si vous refusez de fixer mon
regard, j'ordonne à Gali-Petti de monter sur
le toit et de s'envoler. Je contrôle toujours
son esprit. Alors, croyez-moi, il le fera !

— On accepte, dit aussitôt Gina-Colada.

— Excellent ! se réjouit le gredin. Je vais

pouvoir profiter de tous vos talents, quelle aubaine ! Je serai le plus respecté des gredins !

Gina-Colada et Gigi-Tricoti glissent alors les lunettes sur leur nez.

— Ha ! Ha ! ricane Tony La Rétine. Vous avez pensé que je ne verrais pas votre manège dans la pénombre ? Je suis si habitué à vivre la nuit que j'y vois aussi bien qu'un chat ! ajoute-t-il en leur arrachant leurs lunettes.

Les deux jeunes filles grimacent de dépit.

— Des verres qui rendent la vision floue, murmure Tony La Rétine. Bien essayé. Mais JE vais gagner la partie ! Vos paupières sont lourdes, commence-t-il d'une voix monocorde (ça veut dire : « d'un seul ton », et non pas « d'une seule corde ») en vrillant son regard sur le trio.

Est-ce la fin des 4 G ?

6

Larmes de crocodile

Gina-Colada et Gigi-Tricoti ne peuvent résister au regard de braise (joli mot qui signifie : « noir et brillant ». Ne pas confondre avec « fraise ») de Tony La Rétine.

— Vous vous endormez…, poursuit-il.

C'est alors que Gogo-Alto saisit un pot de peinture entre ses pattes. Il s'envole vers le mur qui fait face au gredin en criant :

— Krrroââ ! Un perroquet intelligent comme moi ne peut pas être hypnotisé !

Puis, il frappe le pot contre un soupirail (ce n'est pas un appareil qui pousse des soupirs. C'est une

fenêtre dans une cave). Cling ! La vitre noircie par la saleté explose en mille morceaux ! Un puissant rayon de soleil entre dans la cave.

Tony La Rétine pousse un cri.

— Aïe ! gémit-il en se prenant la tête à deux mains. Ma migraine est revenue !

Délivrée de son regard, Gigi-Tricoti sort aussitôt de sa botte une longue écharpe. Gina-Colada s'empare d'une fiole dans sa ceinture. La chimiste verse quelques gouttes sur l'étoffe de laine. Vive comme l'éclair, Gigi-Tricoti bondit sur le gredin et l'entortille dans l'écharpe.

— Qu'est-ce que c'est que ça ? crie-t-il. Ça me gratte partout !

— À malin, malin et demi ! s'exclame Gina-Colada. Pour votre info, c'est du « Pikapus ». Rien ne pourra vous délivrer de cette gratouillette aiguë. Moi seule possède l'antidote. Réveillez Gali-Petti !

— D'accord, sales petites pestes ! Céphalée (joli mot pour mal de tête), prononce-t-il en se tortillant comme un ver.

Aussitôt, Gali-Petti ouvre les yeux et s'étonne :

— Qu'est-ce qui s'est passé ?

— Contente que tu sois de nouveau parmi nous ! lance Gina-Colada avec un grand sourire. Vous, donnez-moi le code pour réveiller Monsieur Mauve !

— Deux sonneries, quatre sonneries, deux sonneries. Aaaaah ! On dirait que j'ai une famille de maringouins sur le corps !

— Gali-Petti, récupère l'*Œil-de-Mars*! commande Gina-Colada.

Aussitôt dit, aussitôt fait.

— Enlevez-moi cette cochonnerie avant que je devienne fou ! hurle Tony La Rétine.

Gigi-Tricoti lui retire l'écharpe. Gina-Colada porte une de ses fioles aux lèvres du gredin. Il grimace.

— Pouah ! On dirait du pipi de chat !

Quelques secondes plus tard (24,6 s), Tony La Rétine pousse un soupir de soulagement.

— Ouf ! Ça fait du bien ! Mais ma pauvre tête, elle…, gémit-il en pressant les poings sur ses tempes. Je n'y comprends rien…

— C'est seulement la noirceur de la cave qui a soulagé votre migraine, affirme Gigi-

Tricoti. Vous êtes bien crédule pour un gredin !

— Ce bijou ne peut donc rien contre les rayons du soleil ? se lamente-t-il. Je me suis fait rouler...

Des larmes se mettent à couler de ses yeux. Le gredin fait vraiment pitié. Les 4 G en oublient de le ligoter. C'est alors que Tony La Rétine bondit sur une caisse et s'échappe par le soupirail ! Figés par la surprise, les 4 G perdent de précieuses secondes avant de réagir. À leur sortie, Tony La Rétine surgit de derrière le moulin. Il est juché sur une moto ornée d'ailerons en forme d'yeux. Les siens sont dissimulés derrière une visière noire.

— Gina-Colada, tes potions sont vrai-

ment magiques ! Mais vous êtes bien naïfs, les 4 G ! déclare-t-il sur un ton moqueur. Les gredins sont d'excellents comédiens ! ajoute-t-il avant de disparaître dans un nuage de poussière.

— Il nous a bien eus, avec ses fausses larmes, grogne Gina-Colada.

— Mais nous avons récupéré l'*Œil-de-Mars* ! s'écrie Gali-Petti.

— Occupons-nous maintenant de Monsieur Mauve, ajoute Gigi-Tricoti.

Gina-Colada compose aussitôt le code. Monsieur Mauve répond.

— Pourquoi m'appelez-vous ? s'étonne-t-il. Tout est tranquille à Gredinville. J'y pense, je vous ai pris un rendez-vous chez l'optométriste. La vue, c'est important ! Allo ?

C'est quoi, Maboul ?

Quand tu commences à lire, c'est parfois difficile.

Avec **Boréal Maboul,** ça devient facile.

- Tu choisis les séries qui te plaisent.
- Tu retrouves tes héros favoris.
- Les histoires sont captivantes.
- Les chapitres sont courts.
- Les mots et les phrases sont simples.
- Les illustrations t'aident à bien comprendre l'histoire.

Ce livre a été imprimé sur du papier 50 % postconsommation,
certifié ÉcoLogo et fabriqué dans une usine fonctionnant au biogaz.

Les Éditions du Boréal
4447, rue Saint-Denis
Montréal (Québec) H2J 2L2
www.editionsboreal.qc.ca

MISE EN PAGES ET TYPOGRAPHIE :
LES ÉDITIONS DU BORÉAL

ACHEVÉ D'IMPRIMER EN FÉVRIER 2016
SUR LES PRESSES DE L'IMPRIMERIE GAUVIN
À GATINEAU (QUÉBEC).